D0298260

DWYNWEN
Santes Cariadon Cymru

Argraffiad cyntaf: Ionawr 2010

ⓗ testun: Siân Lewis 2010
ⓗ lluniau: Graham Howells 2010

Rhif Llyfr Safonol Rhyngwladol:
978-1-84527-265-4

Cynllun clawr: Adran Ddylunio Cyngor Llyfrau Cymru
Lluniau clawr/tu mewn: Graham Howells

Cyhoeddir dan gynllun comisiwn
Cyngor Llyfrau Cymru

Dymuna'r cyhoeddwr ddiolch i Glenda Williams, Gwasanaeth Llyfrgell Môn
am ei chymorth caredig.

Cyhoeddwyd gan Wasg Carreg Gwalch,
12 Iard yr Orsaf, Llanrwst, Dyffryn Conwy, LL26 0EH.
Ffôn: 01492 642031
Ffacs: 01492 641502
Ebost: llyfrau@carreg-gwalch.com
Lle ar y we: www.carreg-gwalch.com

Merched Cymru
1

Dwynwen

Santes Cariadon Cymru

Siân Lewis

Darluniwyd gan Graham Howells

Amser maith yn ôl, ym Mrycheiniog yn ne-ddwyrain Cymru, roedd yna frenin o'r enw Brychan. Roedd gan Brychan dri deg chwech o blant, sef un ar ddeg o feibion, a dau ddeg pump o ferched.

Roedd merched Brychan yn hynod o dlws. Gan eu bod mor dlws, roedd gwŷr ifainc o bell ac agos eisiau'u priodi. Ond roedd Brychan yn ddoeth iawn. Doedd e ddim am i'w ferched briodi dynion balch a difeddwl, felly byddai'n gyrru llawer i ffwrdd.

Ymhell i'r gogledd, roedd tywysog o'r enw Maelon Dafodrill yn byw. Un diwrnod roedd Maelon yn edmygu'i hun yn y drych.

'Mae'n bryd i fi gael gwraig,' meddai, gan anwesu'i farf ddu. 'Yn enwedig gwraig ddel.' Felly, heb oedi eiliad yn rhagor, galwodd Maelon ei ddynion ynghyd, ac i ffwrdd â nhw i Frycheiniog.

Ar ôl marchogaeth yn galed am ddau ddiwrnod, daeth y criw i olwg llys Brychan yn Nhalgarth, a sefyll yn ymyl nant fach.

'Arhoswch fan hyn!' gorchmynnodd y tywysog i'w ddynion, a chan neidio o'r cyfrwy, fe ddilynodd y nant drwy goedwig fechan nes iddo gyrraedd pwll clir, llonydd. Ar lan y pwll, penliniodd Maelon a golchi pob mymryn o lwch o'i wallt a'i farf.

'A, dyna welliant!' meddai, gan godi'i ben ac ysgwyd y dŵr o'i wallt. 'Nawr dwi'n barod i hawlio merch dlysaf y Brenin Brychan.'

Gwenodd ar ei adlewyrchiad ei hun yn y pwll, ac â'r wên yn dal ar ei wyneb, brysiodd yn ôl at ei ddynion poeth, llychlyd, a marchogaeth yn ei flaen.

Cyn gynted ag i Maelon fynd o'r golwg, rhedodd bachgen bach o'r llwyni gerllaw gyda Dwynwen, ei chwaer fawr, yn ei ddilyn. Heilin oedd hwn, un o dywysogion Brycheiniog. Disgynnodd Heilin ar ei liniau yn ymyl y pwll, taflu dŵr dros ei wyneb ac ysgwyd ei hun a gwenu, yn union fel y gwnaeth Maelon.

'Heilin!' meddai Dwynwen gan chwerthin. 'Rhag dy gywilydd di'n gwneud hwyl ar ben y dyn ifanc!'

Cododd Heilin, a gwylio'i chwaer yn tynnu dail a brigau o'i gwallt. Roedd e'n hoffi chwarae gyda Dwynwen, ond cyn hir fyddai hi ddim eisiau chwarae gydag e. Roedd hi'n ddigon hen i briodi erbyn hyn.

'Oeddet ti'n hoffi'r dyn 'na?' gofynnodd Heilin.

'Ei hoffi e?' meddai Dwynwen. 'Dwi ddim hyd yn oed yn ei nabod e, Heilin bach.'

'Ond dwedodd e 'i fod e'n mynd i briodi merch dlysaf Dad,' meddai Heilin. 'Felly, mae e'n mynd i dy briodi di.'

'*Fi?*' meddai Dwynwen.

'Ie, ti,' atebodd ei brawd. 'Dere. Dwi'n mynd adre. Os bydda i'n hoffi'r dyn, fe gei di ei briodi e. Os na fydda i'n ei hoffi, fe yrra i e i ffwrdd, yn union fel y gwnaeth Dad i Gwynllyw.' Tynnodd Heilin gleddyf pren o'i wregys, a rhedeg i lawr y llwybr gan ei chwifio uwch ei ben.

Ochneidiodd Dwynwen. Roedd Heilin yn rhy ifanc i gofio'r diwrnod ofnadwy hwnnw pan ymosododd Gwynllyw, brenin Gwynllwg, a thri chant o'i ddynion ar Dalgarth, a chipio'u chwaer, Gwladys. Roedd llawer wedi colli'u bywyd yn y frwydr.

'Chaiff neb ymladd o'm hachos i,' meddai Dwynwen yn

benderfynol, wrth iddi ddilyn Heilin. 'Byddai'n well gen i beidio â phriodi o gwbl.'

Erbyn i Dwynwen gyrraedd y llys, roedd ei brawd bach yn chwarae yn y stablau. Roedd e wedi anghofio am y tywysog, ac wedi mynd i helpu i fwydo ceffylau'r ymwelwyr. Roedd y dynion eu hunain yn y neuadd, lle roedd y brenin yn eu croesawu.

Llifai golau'r machlud haul ar hyd drws agored y neuadd. Yn y cysgodion ym mhen pella'r stafell, welai Dwynwen ddim byd ond clwstwr o wynebau gwelw. Ond roedd y dynion yn ei gweld hi'n glir. Safai pob un yn stond, a syllu mewn rhyfeddod. Roedd y ferch oedd yn croesi'r iard mor dlws â natur ei hun. Dawnsiai dail a blodau yn ei gwallt du, llaes. Roedd gwrid yr haul ar ei boch, a hud y sêr yn ei llygaid glas. Dechreuodd calon Maelon guro'n gynt ac yn gynt. Doedd e erioed wedi bwriadu syrthio mewn cariad go iawn. Ond roedd e'n caru'r ferch yna. Yn ei charu â'i holl galon! Allai e ddim peidio â syllu arni.

O'r diwedd trodd y dyn ifanc at Brychan, oedd yn ei wylio'n dawel. Gwyddai Maelon fod y brenin yn ŵr doeth iawn. Yn ôl rhai, roedd e'n sant. Yn ne-ddwyrain y wlad roedd llawer o seintiau'n teithio o le i le i sôn am Dduw.

"M . . . Mae'n bleser cwrdd â chi," meddai Maelon wrth y brenin. "Dwi wedi clywed cymaint am eich gwaith da. Ac am waith eich plant hefyd."

Gwenodd Brychan. Roedd e'n falch iawn o'i blant. Roedd rhai'n treulio'u bywyd mewn gweddi, a rhai'n sefydlu eglwysi. Roedd ei fab, Nudd, wedi teithio i Gernyw i sôn am Dduw. Roedd ei ferch, Cain, yn gobeithio mynd i Iwerddon i ddysgu am Dduw. Nid yn unig roedd ei blant yn

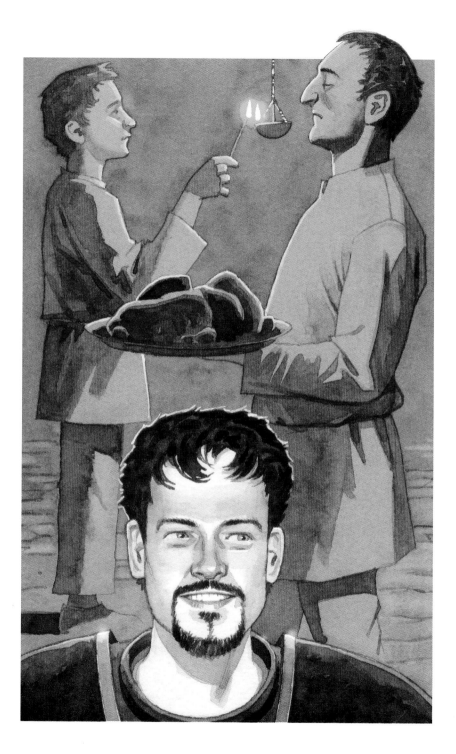

seintiau, ond roedd rhai o'i wyrion hefyd yn dilyn yn ôl ei draed.

Oedd, roedd Brychan yn falch o'i blant i gyd. Drwy gil ei lygad fe sylwodd ar Dwynwen yn cerdded ar flaenau'i thraed i'r neuadd, ac yn eistedd yn dawel yn y cysgodion wrth y wal.

Roedd Dwynwen wedi mentro i'r neuadd er mwyn gwneud yn siŵr fod pawb yn hapus. Roedd hi'n cofio siom a braw ei thad y diwrnod yr ymosododd Gwynllyw ar y llys. Doedd hi ddim am i rywbeth tebyg ddigwydd byth eto.

Ond doedd dim rhaid iddi boeni. Roedd ei thad yn sgwrsio'n llon â'r tywysog. Roedd e'n sôn am waith ei brawd, Nudd, ac roedd y dyn ifanc yn gwrando'n astud. *Rhaid ei fod e'n berson call a deallus iawn*, meddyliodd Dwynwen. Er bod ganddo wyneb mwy garw ac onglog na'i thad a'i brodyr, roedd ei wên mor felys â'r mêl. Roedd e'n gwenu ar y gweision oedd yn cynnau ffaglau yn y neuadd, ar y morynion oedd yn gweini bara a chig, ac ar ei mam, ei brodyr a'i chwiorydd oedd ar fin eistedd wrth y bwrdd.

Roedd hi mor brysur yn gwylio'r tywysog ifanc, chlywodd hi mo Heilin yn cripian tuag ati. Pan gyffyrddodd ei gleddyf â'i braich, neidiodd Dwynwen mewn braw.

"Pam wyt ti'n eistedd fan hyn yn y cysgodion?" gofynnodd Heilin. "Dere draw at y bwrdd!" Cyn i Dwynwen ddweud dim, cydiodd yn ei llaw a'i thynnu ar ei thraed.

Byddai Heilin wedi'i gwthio i'r sedd nesa at Maelon, oni bai i Dwynwen ddianc o'i afael ac anelu am ben pella'r bwrdd, lle roedd ei chwaer, Cain, yn eistedd. Gobeithio nad oedd Cain yn ei chlywed. Roedd Cain yn berson tawel, addfwyn, oedd wedi penderfynu treulio'i bywyd mewn gweddi. Weithiau roedd Dwynwen am wneud 'run fath. Ond bryd arall byddai'n breuddwydio am briodi tywysog mor ddoeth a charedig â'i thad.

Tybed ai Maelon oedd y tywysog hwnnw? Clywodd Dwynwen rywun yn galw'i henw, a chododd ei phen yn swil. Roedd ei thad yn cyflwyno'i blant i gyd yn eu tro i'r dyn ifanc. Am eiliad, cyn troi at Cain, fe wenodd Maelon arni hi a neb arall. Yn yr eiliad honno syrthiodd Dwynwen mewn cariad.

Tra oedd pawb arall yn sgwrsio ac yn bwyta, roedd Dwynwen yn gwylio golau'r ffaglau'n dawnsio ar wyneb Maelon. A phob tro roedd e'n troi ac yn edrych arni hi, roedd hi'n syllu i'w lygaid.

O'r diwedd daeth y swper i ben. Cliriwyd y bwrdd, a daeth y cerddorion ymlaen. Wrth i nodau telyn a chrwth lifo drwy awyr y nos, cododd Maelon ar ei draed a cherdded at Dwynwen. Estynnodd amdani a'i sgubo yn ei freichiau i ddawnsio. Teimlai Dwynwen mor ysgafn â phluen a'i thraed prin yn cyffwrdd â'r llawr. Rhedodd Heilin ar eu holau â gwên fawr ar ei wyneb. "Dwedes i wrthot ti! Dwedes i wrthot ti!" gwaeddodd ar ei chwaer, ond chlywodd Dwynwen ddim gair. Roedd hi'n gwrando ar lais Maelon yn sibrwd yn ei chlust.

"Dwi'n dy garu di," sibrydodd.

"A dwi'n dy garu di hefyd," atebodd Dwynwen.

"Yna fe briodwn ni," meddai Maelon. "Fory fe ofynna i am ganiatâd dy dad."

Am weddill y dydd a'r nos roedd Dwynwen mewn

breuddwyd. O ffenest ei stafell wely edrychodd ar fryniau a choedwigoedd Brycheiniog. Fory fe fyddai'n ffarwelio â nhw ac yn mynd gyda Maelon i ogledd Cymru, lle roedd mynyddoedd geirwon yn estyn i'r nen.

Drannoeth cododd Dwynwen yn gynnar a gwisgo'i dillad gorau. Pan glywodd hi weision Maelon yn symud o gwmpas yr iard, fe aeth allan. Roedd rhai o'r dynion yn golchi'u hunain wrth y ffynnon, ac eraill yn arwain eu ceffylau o'r stablau. Ond ble roedd Maelon?

Wrth i Dwynwen nesáu at y neuadd, clywodd lais y tywysog yn siarad â'i thad.

"Dwynwen," meddai Maelon.

Cuddiodd Dwynwen y tu ôl i'r drws i wrando.

"Rwyt ti am briodi Dwynwen?" meddai ei thad.

"Ydw, â'm holl galon," meddai Maelon. "Ga i eich caniatâd i'w phriodi hi?"

Gwenodd Dwynwen yn hapus. Roedd ei thad yn siŵr o gytuno. Sut gallai e wrthod dyn mor arbennig?

"Dwed wrtha i," meddai'r brenin, "wyt ti'n meddwl mai Dwynwen yw'r dlysaf o'm merched i?"

"O, ydw!" atebodd Maelon yn eiddgar.

"Felly, ei phrydferthwch hi sy'n bwysig i ti, ac nid ei chymeriad da?"

"Na!" Sobrodd Maelon. "Dwi'n siŵr fod Dwynwen yn dda, fel pob un o'ch merched," meddai'n frysiog.

"Sut galli di fod mor siŵr, os nad wyt ti'n ei nabod hi?" Pwysodd y brenin ei fraich ar ysgwydd y dyn ifanc. "Ddylet ti ddim dibynnu ar dy lygaid yn unig," meddai. "Mae'n ddrwg gen i, Maelon. Dwi'n dymuno'n dda i ti, ond chei di ddim priodi Dwynwen."

Allai Dwynwen ddim credu'i chlustiau. Safodd yn stond am eiliad neu ddwy. Yna, gan weiddi'n druenus, trodd a dianc o'r llys.

Clywodd lais Maelon yn atsain y tu ôl iddi.

"Ond pam?" llefodd y gŵr ifanc. "Dydi hynna ddim yn deg! Chaiff Dwynwen byth ŵr gwell na fi!"

Roedd e yn llygad ei le, meddyliodd Dwynwen. Châi hi byth ŵr gwell na'r Tywysog Maelon. Roedd hi'n ei garu. Roedd hi'n ei garu â'i holl galon! Rhedodd Dwynwen i lawr y llwybr a phlymio i'r coed lle gwelodd hi Maelon am y tro cynta. Roedd hi a Heilin wedi creu cuddfan fach o dan y llwyni ger y nant. Yno gallai grio heb i neb ei gweld.

Wrth iddi wthio'i ffordd drwy'r brigau, clywodd geffyl yn carlamu ar hyd y llwybr. Maelon! Roedd e'n chwilio amdani. Roedd e'n ei charu hi lawn cymaint ag oedd hi'n ei garu e. Doedd ei thad ddim yn deall. Fe ddwedai hi wrtho. Fe gydiai yn llaw Maelon, ei arwain yn ôl i'r llys ac ymbil ar i'r brenin newid ei feddwl.

"Maelon!" galwodd, wrth iddi glywed y tywysog yn neidio o'r cyfrwy.

Ond pan atebodd Maelon, aeth ias oer drwyddi.

"Tyrd yma!" rhuodd. "Tyrd yma, Dwynwen. Dwi'n mynnu dy briodi di, beth bynnag ddwedith dy dad."

Swatiodd Dwynwen rhwng y llwyni. Allai hi ddim credu mai Maelon oedd yn gweiddi mor gras, ac yn edrych mor wyllt a mor sarrug.

"Dwynwen!" udodd Maelon, gan aros yn stond a chodi'i ben fel blaidd.

Daeth Heilin ar ras drwy'r coed. "Gad lonydd i fy chwaer!" gwaeddodd, gan chwifio'i gleddyf pren a hyrddio'i

hun at y tywysog. "Dwi ddim yn dy hoffi di!"

Sgubodd Maelon y plentyn o'i ffordd fel pluen.

"Dwynwen!" llefodd. "Ble wyt ti? A!" Trodd Maelon tuag at y guddfan, a rhoi naid i'w chyfeiriad.

Wrth i'r brigau chwalu o'i chwmpas, disgynnodd Dwynwen ar ei gliniau.

"O Dduw," gweddïodd. "Achub ni! Fe fuon ni'n wirion. Achub ni!"

Ar unwaith safodd angel rhyngddi hi a'r dyn ifanc. Estynnodd yr angel gwpanaid o ddiod euraid i Dwynwen. Wrth i'r ddiod gyffwrdd â'i gwefusau, fe ddiflannodd bob teimlad o gariad oedd ganddi tuag at Maelon fel storom haf. Distawodd llais y tywysog, ac aeth pobman yn dawel ac yn llonydd.

Yn araf bach cododd Dwynwen ei phen. O'i blaen safai Maelon, wedi'i ddal mewn talp mawr o rew.

"Druan o Maelon," sibrydodd Dwynwen. "Roedd e'n ddwl ac yn fyrbwyll, ond ro'n i'n ddwl ac yn fyrbwyll hefyd. Dwi ddim am ei gosbi."

"Yna fe gei di dri dymuniad gen i," meddai'r angel.

"Dwi'n dymuno i Maelon gael dianc o'r rhew," meddai Dwynwen.

Mewn chwinciad toddodd y rhew, gan adael Maelon yn crynu a'i farf yn diferu. Wedi dychryn am ei fywyd, dihangodd y dyn ifanc. Galwodd ei ddynion ynghyd ac anelu am adre cyn gynted fyth ag y gallai.

"Beth yw dy ail ddymuniad?" gofynnodd yr angel, wrth i sŵn carnau'r ceffylau ddistewi.

"Dwi am i freuddwydion cariadon ddod yn wir," meddai Dwynwen gyda gwên fach drist. "Neu, os nad yw hynny'n bosib, dwi am iddyn nhw wella o'u torcalon a bod yn hapus."

"A'r trydydd dymuniad?" gofynnodd yr angel.

"Dwi ddim am briodi byth," meddai Dwynwen.

"Os wyt ti'n siŵr mai dyna beth wyt ti eisiau, fe ddaw pob dymuniad yn wir," meddai'r angel.

Yn fuan wedyn, gadawodd Dwynwen ei chartref ym Mrycheiniog gyda chaniatâd ei thad. Ar ôl iddi gusanu Heilin bach, fe ffarweliodd â'i theulu a marchogaeth tua'r môr, yng nghwmni ei brawd, Dyfnan, a'i chwaer, Cain.

Ar lan y môr roedd cwch yn aros amdanyn nhw. Dringodd y tri i'r cwch a hwylio i ffwrdd i ba bynnag le y byddai'r gwynt yn eu chwythu. Chwythodd gwynt y dwyrain nhw allan i'r môr. Chwythodd gwynt y gorllewin nhw heibio i Benrhyn Llŷn ac yn ôl tuag at Ynys Môn. Ar ynys fechan, ger arfordir Môn, glaniodd y cwch ar draeth melyn.

"Dyma fy nghartref am weddill fy mywyd," meddai Dwynwen. "Yma fe wna i adeiladu cell fach, lle bydda i'n gweddïo ar Dduw. Os bydd rhywrai'n dioddef o boenau cariad, fe gân nhw ddod ata i, ac fe wna i 'ngorau i'w helpu."

Ar yr ynys, sef Ynys Llanddwyn, adeiladodd Dwynwen gell o bridd a phren. Aeth ei brawd, Dyfnan, i fyw ar Ynys Môn a sefydlu eglwys yno. Teithiodd ei chwaer, Cain, drwy Fôn, ac ymlaen i rannau eraill o Brydain i sôn am Dduw. Er bod Dwynwen heb gwmni, doedd hi byth yn teimlo'n unig. Roedd hi'n mwynhau gweddïo ar Dduw ac, ymhen amser, fe ddaeth merched eraill ati i fod yn ddisgyblion iddi a sefydlu cymuned ar Ynys Llanddwyn.

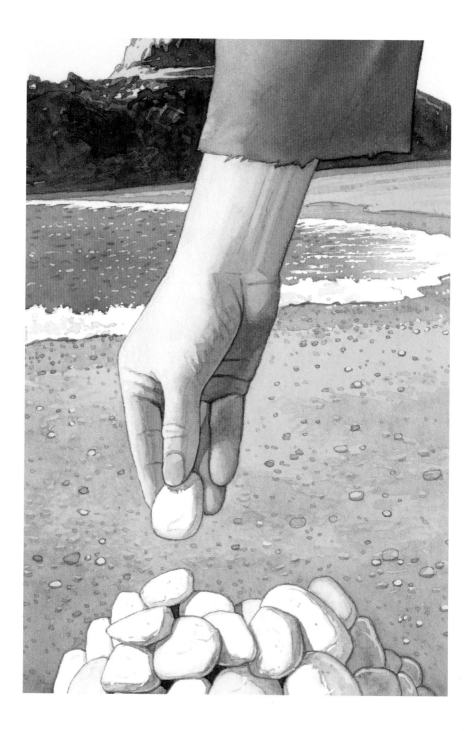

Ar ddiwedd ei hoes hir, pan oedd hi'n glaf yn ei gwely, gweddïodd Dwynwen ar Dduw am y tro olaf, a gofyn am gael gweld y tonnau oedd wedi'i chludo i'r ynys. Ar unwaith fe wnaeth craig ar yr ynys rwygo yn ddau, a thrwy'r bwlch, gwelodd Dwynwen donnau'r môr.

Bu farw Dwynwen dros 1,500 o flynyddoedd yn ôl. Yn ôl y groes sy ar yr ynys, fe fu farw ar 25 Ionawr yn y flwyddyn 465. Roedd hi'n 80 mlwydd oed.

Codwyd y groes ganrifoedd ar ôl i Dwynwen farw. Fe ddaeth hi'n nawddsant cariadon Cymru, ac mae pererinion yn dal i deithio i Ynys Llanddwyn i weddïo ar Dwynwen. Pererinion yw'r enw ar bobl sy'n ymweld â mannau sanctaidd.

'Slawer dydd, byddai cleifion a chariadon trist yn teithio o bell i'r ynys i chwilio am gymorth. Roedd croes fach Dwynwen a pheth o'i heiddo'n cael eu cadw mewn cist o'r enw Cyff Dwynwen. Byddai'r pererinion yn gweddïo o amgylch y gist hon, a dôi pob pererin â charreg fach wen a'i gosod ar yr ynys.

Codwyd eglwys fach ar safle cell Dwynwen. Yno safai delw aur o'r santes, a golau canhwyllau'r pererinion yn dawnsio drosti. Dôi'r pererinion â rhoddion o arian hefyd. Mil o flynyddoedd ar ôl i Dwynwen farw, roedd digon o arian i dalu am eglwys newydd. Mae olion yr eglwys honno i'w gweld ar yr ynys hyd heddiw, ac fe gynhelir gwasanaeth yno unwaith y flwyddyn. Pan fydd y llanw'n isel, mae'n bosib cerdded i'r eglwys o'r traeth.

Ar Ynys Llanddwyn roedd yna ffynnon o'r enw Ffynnon Dwynwen. Cyn gweddïo ar y santes, byddai'r pererinion weithiau'n ymdrochi yn y ffynnon, neu'n yfed y dŵr. Cysgai rhai dros nos ar graig o'r enw Gwely Esyth, a thorri'u henwau yn y pridd er mwyn cael iachâd. Yn ôl y sôn, roedd dŵr y ffynnon yn gwella afiechyd yr esgyrn neu'r ysgyfaint. Roedd hefyd yn gwella torcalon.

Mae llawer o feirdd yn sôn am fynd at Ffynnon Dwynwen. Gant a hanner o flynyddoedd yn ôl, roedd calon y bardd Ceiriog ar dorri, ac fe aeth at y ffynnon i drio anghofio'i gariad. Ond dyma be ddigwyddodd:

Mi eis i Landdwynwen ar ddiwrnod o haf,
Yn isel fy meddwl, o gariad yn glaf;
Mi yfais o'r ffynnon, ond trois yn ddi-oed
I garu fy nghariad yn fwy nag erioed.

Gofynnais am gyngor, a dwedai hen ŵr
Y dylwn ymdrochi i ganol y dŵr;
Mi neidiais i'r ffynnon, a suddais fel maen,
Ond codais mewn cariad dau fwy nag o'r blaen.

Druan o Ceiriog! Dylai fod wedi mynd at ffynnon arall, o'r enw Crochan Llanddwyn. Roedd y pysgod ynddi'n gallu dweud ffortiwn rhywun! Dim ond taflu ychydig friwsion i'r dŵr oedd angen, a gollwng hances ar ben y briwsion. Os oedd y pysgod yn symud yr hances, dyna arwydd for breuddwydion ei pherchennog yn mynd i gael eu gwireddu.

Tua dau gant o flynyddoedd yn ôl, roedd hen wraig o bentref Niwbwrch gerllaw yn arfer eistedd wrth y ffynnon, a chynnig help i egluro neges y pysgod. Daeth merch at y ffynnon un diwrnod a gweld un pysgodyn yn gwibio o'r

ochr ogleddol, a physgodyn arall yn gwibio o'r de.

"Be maen nhw yn ei ddweud?" gofynnodd y ferch.

"Dweud y byddi di'n priodi dyn dieithr o waelod sir Gaernarfon," atebodd yr hen wraig.

Flynyddoedd yn ddiweddarach, yn ôl yr hanes, fe ddaeth ei geiriau'n wir.

Roedd cyngor Dwynwen i gariadon yn llawer symlach. Roedd hi'n dweud wrth bawb am fod yn hapus ac yn garedig wrth ei gilydd. "Hapusrwydd sy'n ennill serch," oedd ei neges.

Bob blwyddyn ar 25 Ionawr, sef Diwrnod Santes Dwynwen, rydyn ni'n cofio'r neges honno, ac yn anfon cardiau at ein gilydd. "Dwi'n dy garu di" yw'r geiriau hapus ar y cardiau. Byddai Dwynwen wrth ei bodd!

Straeon Bywyd Cymru

Cipolwg dychmygus ar fywydau plant fu'n rhan o ddigwyddiadau pwysig yn hanes Cymru.
Awdur: Siân Lewis.

1
Y Freuddwyd
Owain Glyndŵr yn cipio castell Harlech

2
Y Wobr
Trychineb pwll glo ym Morgannwg

3
Merch Beca
Merch yng nghanol Helyntion Beca